Pour _____

De _____

Éditeur :

Éditions du Signe
B.P. 94 F 67038 Strasbourg Cedex 2
Email : info@editionsdusigne.fr
Tél : 0033 (0)3 88 78 91 91
Fax : 0033 (0)3 88 78 91 99

© Éditions du Signe, 2007
ISBN 978-2-7468-1830-9
Dépôt légal : 3ᵉ trimestre 2007
Imprimé en Chine

Les tout petits découvrent
la Bible

Adapté par Sarah Toulmin
Illustrations de Kristina Stephenson

ÉDITIONS
DU SIGNE

Sommaire

Histoires de l'Ancien Testament

Histoires du Nouveau Testament

Histoires de l'Ancien Testament

Les histoires de l'Ancien Testament parlent de Dieu qui a créé tout ce qui existe et vit au monde.

Au commencement

Il y a très très longtemps rien n'existait.

Dieu dit : « Je veux de la lumière. »

Waouh !

Et le monde se mit à exister.

Puis Dieu créa
toutes les choses.

Waouh !

Et Dieu était content.

Dieu fit l'homme.
« Ton nom est Adam » dit-il.

Et Dieu créa la femme.
« Ton nom est Ève » dit-il.

« Prenez soin de ce monde
merveilleux » dit Dieu.

Jours de pluie

Un jour, Dieu contempla la terre
du haut du ciel.

« Oh la la, dit-il,

les gens ne prennent pas soin
du monde si beau que
je leur ai laissé. »

Mais Dieu se souvenait
de Noé. Noé était
un homme bon.

«J'ai un plan, dit Dieu à Noé.
Je vais refaire le monde.
Je veux que tu construises
un énorme bateau.»

Noé obéit.

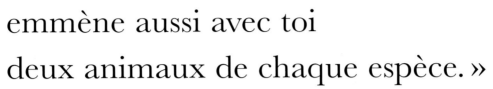

« Fais entrer ta famille dans le bateau,
dit Dieu,

emmène aussi avec toi
deux animaux de chaque espèce. »

16

Et Dieu fit tomber la pluie.
Il plut encore et encore.

Splitch !

Splatch !

Splotch !

Le bateau se mit à flotter.

Les eaux le
soulevèrent
très haut.

Puis le firent
redescendre.

BOUM !

L'eau se retira.

« Sortez tous du bateau,
dit Dieu, et recommencez à
peupler la terre.

Voyez l'arc-en-ciel !
C'est le signe de ma
promesse : désormais,
je protègerai toujours
ce nouveau monde.

23

Dieu choisit une famille

Il y avait autrefois un homme et une femme. Ils étaient tristes.

« Nous n'avons pas d'enfant.
Nous n'aurons pas de petits-enfants. »

La femme regardait les mères
et leurs enfants, et elle pleurait.

Au cours d'une belle nuit étoilée,
l'homme entendit quelqu'un lui parler.

C'était Dieu.

« Écoute Abraham, dit Dieu, toi et ta
femme Sarah vous aurez un enfant.

Vous l'appellerez Isaac.

Il aura des enfants. Ses enfants
auront des enfants à leur tour. »

« Ta famille grandira.

Elle sera mon peuple
et je prendrai soin d'eux. »

Abraham et Sarah aimaient
leur petit Isaac.

Un beau manteau

Isaac avait un fils appelé Jacob.
Jacob avait beaucoup de fils, mais
celui qu'il aimait le plus c'était Joseph.

Jacob offrit à Joseph un beau manteau.

«Je suis le
plus beau!»
se vantait
Joseph.

Les grands frères de Joseph se fâchèrent.
« On ne veut pas de toi,
dirent-ils à Joseph.

Pars et ne reviens plus ! »

Ils demandèrent à des hommes
de l'enlever.

Ils allèrent chez Jacob.

« Il est arrivé un malheur, dirent-ils,

Joseph n'est plus là.

Nous avons trouvé
ce morceau de
son manteau »

Jacob pleura.
« Mon pauvre,
mon pauvre
Joseph ! » dit-il.

Emmené dans un pays lointain,
Joseph était sous la protection de Dieu.

Le roi du pays confia à Joseph
des tâches importantes.

Un beau jour, les frères de Joseph
se rendirent dans ce pays. Ils allèrent
voir l'homme qui s'occupait de tout.

Ils ne savaient pas que c'était Joseph.
Mais Joseph, lui, les reconnut.

« Nous voulons acheter
de quoi manger » dirent-ils.

« Hum ! dit Joseph, je ne sais pas si je
peux vous faire confiance ! »

Finalement, Joseph pardonna
à ses frères.

« Je suis le frère que vous avez perdu
il y a si longtemps ! dit-il.
Venez habiter dans ce pays. »

« Hourra ! » crièrent-ils de joie.
Dieu les avait tous gardés sous
sa protection.

Un nouveau pays

Une maman et sa petite fille pleuraient.

« Nous devons cacher le bébé, dirent-elles, car le méchant roi veut tuer tous les garçons qui viennent de naître. »

Elles cachèrent le bébé près
de la rivière.

Une princesse le trouva et décida
de sauver le petit Moïse.

Une fois grand, Moïse se rendit
compte combien le roi était méchant.
Il obligeait les hommes de son pays
à travailler très dur.

Un jour, Dieu parla à Moïse dans
un buisson qui avait pris feu.
« Tu dois aider mon peuple, dit Dieu,
à quitter ce pays au roi si cruel. »

Moïse se rendit chez le roi et dit :
« Laisse partir ces gens, laisse-les
trouver un nouveau pays. »

« Non ! répondit le roi. Non,
non et non ! »

«Je ferai changer le roi d'avis, dit Dieu.
Je vais guider mon peuple vers
un nouveau pays.

C'est toi qui les conduiras.
Je ferai un passage à travers la mer.»

« Hourra ! » criait le peuple.
« Dieu est notre Dieu. Nous sommes
le peuple de Dieu. »

Et ils se mirent en route vers
ce nouveau pays.

Les murs s'écroulent

Moïse était devenu vieux.

Josué était fort et courageux.

« C'est à toi de conduire le peuple vers leur nouveau pays » lui dit Moïse

« Allons ! Nous sommes presque arrivés » dit Josué pour encourager le peuple.

Le peuple arriva près d'une très grande ville, entourée de très grands murs avec de très grandes portes.

« Oh la la ! » se dit Josué

« Écoute-moi, dit Dieu, marche autour
de la ville. Fais-en le tour tous les jours. »

Jour 1

Jour 2

Jour 3

Jour 4

Jour 5

Jour 6

Vous êtes prêts ?

Jour 7
Tataratta !
« Hourra ! »
CRATCH !

Les murs de la ville tombèrent !

« Dieu nous a fait entrer dans notre nouveau pays, dit Josué. Dieu nous aime, et nous aussi, nous l'aimons. »

Le géant et l'enfant

Le géant s'appelait Goliath.

Il était féroce.

Il n'aimait pas le peuple de Dieu.

Il leur faisait vraiment peur.

« Ha ! ha ! ha ! rit Goliath.
Venez vous battre contre moi ! »

L'enfant s'appelait David.

« Je me battrai contre toi » dit-il.
« Ha ! ha ! ha ! dit Goliath en riant,
tu es si petit. »

« Ha ! ha ! ha ! reprit Goliath en riant,
j'ai une grande épée. Toi, tu n'as
qu'une poignée de cailloux. »

« Eh bien moi, j'ai confiance en Dieu »
dit David. Il lança un caillou.

PAF !

Goliath tomba à terre.

David était petit, mais il faisait
confiance à un grand Dieu.

61

La baleine

Dieu dit à Jonas :

« Va à Ninive. Les gens là-bas se conduisent mal. Dis-leur d'arrêter. »

Jonas répondit en boudant :
« Je n'aime pas les habitants de Ninive. Je ne veux pas aller là-bas. »

« Je vais partir
ailleurs »

Il arriva au bord de la mer.

« Où va ce bateau ? »

« En Espagne »
répondit le marin.

« Je veux aller là-bas » dit Jonas.

« Alors, monte à bord »
répondit le marin.

Cette nuit, Dieu fit éclater
un gros orage. Le bateau tanguait.

« Au secours ! » criaient les marins.

« Oh la la, gémit Jonas.
Tout est de ma faute.
J'ai désobéi à Dieu »

« Nous sommes désolés pour toi,
mais…. »

SPLATCH !

Jonas tomba à la mer et sombra
dans les eaux profondes.

Une baleine vint à passer.

GLOP !

69

Hic ! hoqueta la baleine.

« Oh ! dit Jonas, Dieu m'a gardé en vie. »

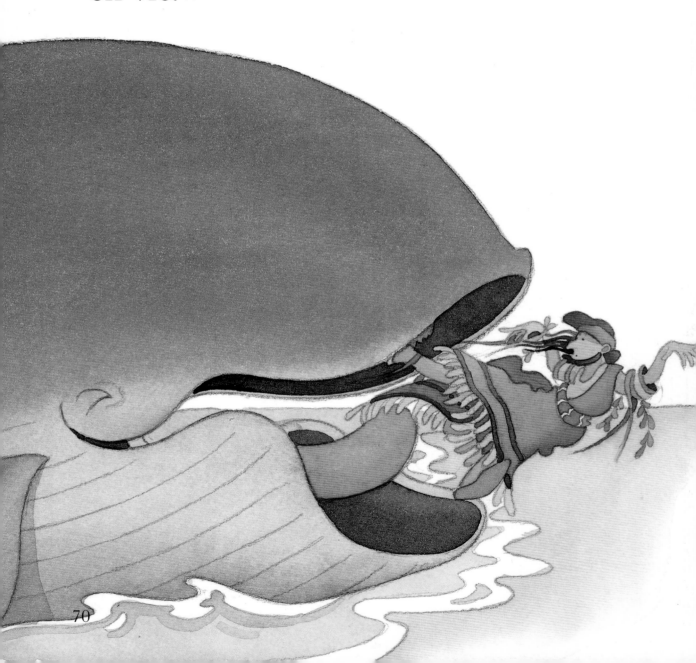

« Que dois-je faire maintenant ?
Je sais ! Je vais aller à Ninive.
Je vais dire aux gens d'arrêter
de faire du mal. »

Les habitants de Ninive écoutèrent
Jonas.

« Ce que nous avons fait
est vraiment mal » dirent-ils.

« Mon Dieu, nous te demandons pardon » dirent-ils en pleurant.

Et Dieu leur pardonna.

Des lions affamés

Daniel aimait Dieu et lui parlait tous les jours.

Il priait ainsi : « Aide-moi à faire ce qui est bien et juste. »

Daniel travaillait pour le roi.

« C'est lui qui travaille le mieux, disait le roi. C'est à lui que je vais donner le meilleur travail. »

Les autres se fâchèrent.

« Faisons en sorte que Daniel ait des ennuis. »

« Nous dirons au roi qu'il faut punir ceux qui prient,

ensuite nous lui parlerons de Daniel. »

« Hi ! hi ! hi ! »

Le plan fonctionna.

«Je suis désolé Daniel, dit le roi,
on m'a piégé !»

Daniel dut descendre dans la fosse
aux lions.

« Que Dieu t'aide ! »
dit le roi tout triste.

GRRRR ! rugirent les lions,
le ventre vide.

Mais Dieu veillait sur Daniel.

« Hourra ! cria le roi,

C'est Daniel le meilleur.

Et le Dieu de Daniel est
le meilleur ! »

Histoires du Nouveau Testament

Les histoires du Nouveau Testament
parlent de Jésus.

L'enfant Jésus

Un jour, Dieu envoya un ange porter un message.

« Bonjour Marie, dit l'ange,
Dieu t'a choisie. Tu vas devenir mère.
Ton enfant sera le fils de Dieu et
tu l'appelleras 'Jésus'. »

Marie fut étonnée.
Et puis elle avait également
un peu peur.

Joseph était bien embarrassé.
« Marie est celle que je veux épouser,
dit-il. Que dois-je faire maintenant ? »

Un ange lui apporta un message.

« Épouse Marie et prends soin d'elle. »

« Je le ferai, répondit Joseph.
Nous fonderons
une famille. »

Ensemble ils se rendirent à Bethléem.
Pour dormir, ils ne trouvèrent
qu'une étable.

C'est là que le bébé de Marie vint
au monde.

Marie n'avait pas de berceau et dut
coucher l'enfant dans une mangeoire.

89

Sur une colline toute proche,
il y avait des bergers.

Un ange vint vers eux
avec un message.

« Le Fils de Dieu est né
à Bethléem.

Dieu va bénir tous les
habitants de la terre. »

D'autres anges
apparurent en entonnant
des chants joyeux.

Les bergers arrivèrent à Bethléem.
Ils trouvèrent l'enfant Jésus.

« L'ange avait raison ! »
se dirent-ils les uns aux autres.

« Ton enfant n'est pas
comme tous les autres »
dirent-ils à Marie.

Une étoile étincelante brillait haut
dans le ciel.

Dans un pays lointain,
des sages l'aperçurent.

« Dieu a mis cette étoile dans le ciel
pour nous avertir qu'un grand roi
vient de naître.

Mettons-nous en marche
pour le trouver. »

Ils marchèrent vers Bethléem.

Ils emportaient des cadeaux :

de l'or,

de l'encens,

de la myrrhe.

C'étaient des cadeaux pour un roi.
C'étaient des cadeaux pour le Fils
de Dieu.

Le message de Jésus

L'enfant Jésus grandissait.

C'était un bon fils.

Il travaillait pour aider sa famille.

C'était également le Fils de Dieu.
Il avait un travail à accomplir pour
Dieu.

« Écoutez, disait Jésus aux gens qu'il rencontrait, j'ai une bonne nouvelle.

Dieu vous aime.
Vous êtes les enfants de Dieu.

Regardez les oiseaux :
Dieu prend soin d'eux.

Regardez les fleurs :
Dieu prend soin d'elles.

Dieu prendra aussi soin de vous. »

C'était un travail énorme que
d'annoncer cette bonne nouvelle.

Jésus choisit des amis pour l'aider.

Certains d'entre eux étaient des
pêcheurs. Jésus les avait rencontrés
au bord du lac de Galilée. Ils étaient
dans leurs bateaux. Ils étaient en train
de pêcher des poissons.

« Suivez-moi » leur dit Jésus.

Les pêcheurs abandonnèrent
tout pour suivre Jésus.

Puis Jésus choisit encore d'autres amis.
Ils quittèrent tous leur travail.

« Nous voulons suivre Jésus,
dirent-ils tous. Nous voulons aider
les gens à mieux aimer Dieu. »

Jésus se fit encore beaucoup d'autres amis. Eux aussi l'aidaient.

«Nous voulons tous faire partie de la grande famille de Dieu.»

Le trou dans le toit

Un homme était couché sur son lit. Il regardait ses amis.

« Où m'emmenez-vous ? » leur demanda-t-il.

« On te porte jusqu'à Jésus, car tu ne peux pas marcher. »

« Jésus peut guérir les gens. »

Ils virent la foule.

« Nous ne pouvons pas nous frayer un passage jusqu'à la porte, dirent les amis.

Tiens bon. On va te monter sur le toit et on va faire un trou. »

Dans la maison, les gens
entendirent un drôle
de bruit.

toc

toc

toc

scritch   *scratch*

scritch   *scratch*

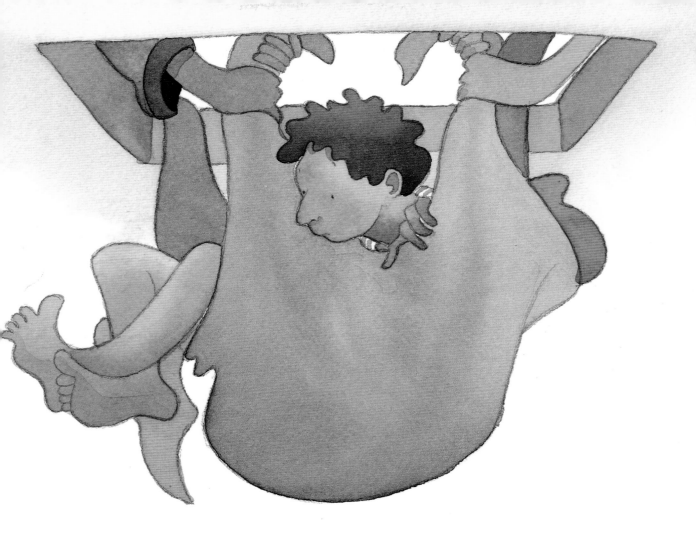

« Regarde, Jésus ! cria quelqu'un.
On est en train de descendre quelque
chose de gros. »

C'était l'homme dans son lit.

Jésus sourit.
« Dieu te pardonne,
dit-il à l'homme.

Maintenant lève toi
et marche ! »

« C'est quoi
tout ça ? »
demanda
la foule.
« Jésus,
qu'est-ce
que ça
veut dire ? »

« Il veut dire que je peux marcher ! »
dit l'homme en riant. Il prit son lit
sous le bras et s'en alla tout heureux.

Le bon berger

Jésus racontait une histoire.

« Un homme avait cent moutons.

L'un d'entre eux s'était perdu. »

« Les autres moutons sont en sécurité ici, dit le berger.

Il faut que j'aille chercher celui qui s'est perdu. »

Il se mit en route.

tap

tap

tap

Il le trouva enfin.

Il le ramena
à la maison.

Il le fit coucher
avec les autres
moutons.

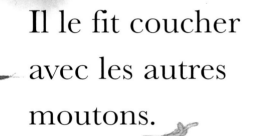

Il organisa
une grande
fête.

« Dieu est comme le berger, dit Jésus.

Les enfants de Dieu sont comme les moutons. Quand un petit enfant vient auprès de Dieu, Dieu est très content.

Et tous les anges du ciel chantent un chant de joie. »

Du pain et des poissons

Beaucoup de gens venaient pour écouter Jésus. Ils s'asseyaient et l'écoutaient pendant des heures et des heures.

« J'ai faim » dit une petite fille.

« Oh la la, répondit sa mère, moi aussi. Et on a oublié d'apporter à manger ! »

Tout le monde avait très faim.

« Jésus, dirent doucement ses douze amis, les gens ont besoin d'aller acheter de quoi manger. »

« Nous avons de quoi les nourrir. » répondit Jésus.

« Comment ? demandèrent ses amis. Il n'y a que ce petit garçon qui a de quoi manger. »

«J'ai cinq pains et deux poissons,
dit le petit garçon. Je peux les donner
à Jésus. »

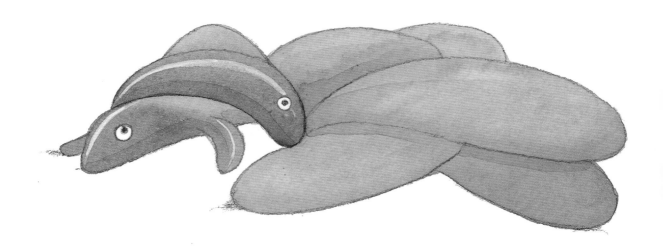

Jésus prit les pains
et les poissons.

Il dit une prière.
« Ô mon Dieu,
merci pour
ce repas. »

Il en donna un peu à chacun de
ses douze amis :
« Allez et partagez avec tous. »

Ô miracle, il y eut de quoi
manger pour tout le monde.

« Bon appétit ! » dit Jésus.

Et la foule mangea
de bon appétit.

Une terrible tempête

Un jour, Jésus et ses amis
se trouvaient sur un bateau.
Ils voulaient traverser le lac.

Jésus était fatigué
et s'endormit.

131

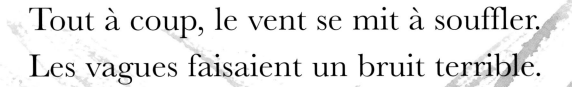

Tout à coup, le vent se mit à souffler.
Les vagues faisaient un bruit terrible.

« Au secours ! au secours, criaient
les amis. Réveille-toi, Jésus !
Le bateau va couler ! »

Jésus se mit debout.

Il dit au vent : « Silence ! »
Il dit aux vagues : « Calmez-vous ! »

Le vent et les vagues obéirent aussitôt.

« De quoi avez-vous peur ? » demanda
Jésus.

Ses amis ne savaient que répondre.

Mais tous pensaient : «Jésus est un ami formidable ! »

La petite fille

Jaïre était inquiet.

Il se précipita pour voir Jésus.
« Ma petite fille va très mal.
S'il te plaît, viens vite à son secours. »

Jésus s'en alla. Mais toutes sortes
de personnes semblaient lui barrer
le chemin.

Dans la maison de Jaïre tout le monde
pleurait.

« La petite fille est morte »
se lamentait-on.

Jésus alla près de son lit.

« Petite fille, relève-toi » dit-il.

Et la petite fille s'assit dans son lit.

Sa maman et son papa riaient
et applaudissaient.

Jésus les avaient à nouveau rendus
heureux.

Une prière

Jésus parlait à Dieu tous les jours.

Parfois il était assis dans sa chambre pour prier.

Parfois il allait en haut d'une montagne.

« Apprends-nous à prier »
dirent ses amis.

Et Jésus leur apprit une courte prière.

Notre Père qui es au ciel,
ton nom est grand.

Nous voulons que tous reconnaissent
que tu es roi.

Nous voulons faire ce
qui te rend heureux.

Donne-nous ce dont
nous avons besoin.

Pardonne-nous quand nous faisons
quelque chose de mal.

Aide-nous à pardonner aux autres.

Veille sur nous maintenant
et toujours.

Amen.

La venue du roi

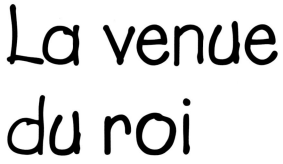

Un jour, Jésus alla dans une grande ville appelée Jérusalem.

Il montait un petit âne.

Les gens l'aperçurent.

« C'est le roi qui arrive ! »

« C'est le roi qui arrive ! » criaient-ils.

Et ils brandissaient des branches
de palmier.

Jésus et ses amis mangèrent ensemble.

Ils partagèrent le pain.

Ils partagèrent
une coupe de vin.

« Souvenez-vous de moi quand je serai parti » dit Jésus.

La croix

Certains n'aimaient pas Jésus.
Ils envoyèrent des soldats
pour s'emparer de Jésus.

Ils le clouèrent sur une croix.

Et Jésus mourut sur la croix.

Les amis de Jésus étaient très tristes.

À la fin de la journée, des amis de Jésus vinrent pour prendre le corps. Ils le mirent dans un tombeau. Ils firent rouler une grande pierre ronde pour fermer le tombeau.

« Au revoir, Jésus, dirent-ils, tout est fini maintenant. » Et ils s'en retournèrent chez eux en pleurant.

Et ce fut la nuit.

Vivant

Dès qu'ils en eurent l'occasion, des amis de Jésus retournèrent au tombeau.

Le tombeau était ouvert et vide.

Des anges dirent :
« Jésus n'est pas là.

Il est à nouveau vivant. »

Ses amis virent Jésus.

« Dieu peut tout faire, dit Jésus.

Allez dans le monde entier et dites cela
à tous ceux que vous rencontrerez. »

Et c'est ce qu'ils firent.

Bénédiction du soir

Dors bien, mon tout petit.

Que les anges du ciel veillent
sur toi pendant ton sommeil.

Que Dieu t'enveloppe de son amour,

et te garde jusqu'aux premières lueurs
du jour.

Amen.